这是我的书 7级：400字
It's MY BOOK

牛顿的苹果

作者：秦志宁（Zhining Chin）
配图：秦志宁（Zhining Chin）

北京语言大学出版社
BEIJING LANGUAGE AND CULTURE UNIVERSITY PRESS

PHOENIX TREE
PHOENIX TREE PUBLISHING INC.

识读 发现 转动 相互
围着 出神 直接

句型 ……发现……

字数 393字

sān bǎi duō nián qián yí gè xiǎo nán hái chū shēng

三百多年前，一个小男孩出生

le tā jiù shì hòu lái nà ge wěi dà de kē xué jiā

了，他就是后来那个伟大的科学家

niú dùn chuán shuō niú dùn de kē xué fā xiàn gēn yì kē

牛顿。传说牛顿的科学发现跟一棵

píng guǒ shù yǒu guān zhè shì zěn me huí shì ne

苹果树有关，这是怎么回事呢？

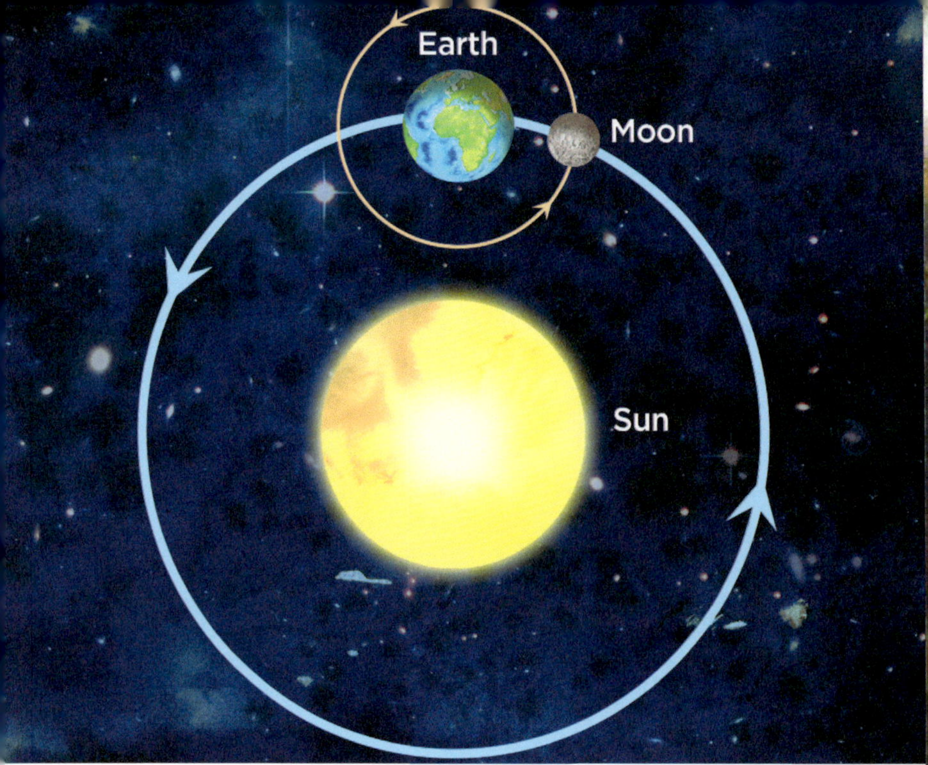

zài niú dùn èr shí duō suì de shí
在牛顿二十多岁的时

hou tā xiǎng zhī dào wèi shén me yuè liang
候，他想知道为什么月亮

rào zhe dì qiú zhuàn dì qiú rào zhe tài yáng zhuàn
绕着地球转、地球绕着太阳转。

yǒu rén shuō yīn wèi yǔ zhòu jiù shì yì tái zhuàn dòng
有人说，因为宇宙就是一台转动

de jī qì suǒ yǒu tiān tǐ dōu zài zhè ge jī qì
的机器，所有天体都在这个机器

shang zhuàn dòng kě shì niú dùn bù xiāng xìn
上转动。可是牛顿不相信。

yì tiān tā zhèng zuò zài yì kē shù xià xiǎng

一天，他正坐在一棵树下想

de chū shén yí gè píng guǒ cóng shù shang diào xia

得出神，一个苹果从树上掉下

lai zhèng hǎo diào dào le tā de tóu shang dōng niú

来，正好掉到了他的头上。咚！牛

dùn xià le yí tiào

顿吓了一跳。

niú dùn xiǎng wèi shén me píng guǒ bù fēi dào

牛顿想：为什么苹果不飞到

tiān shàng qù ne wèi shén me tā bù wéi zhe shù zhuàn

天上去呢？为什么它不围着树转

quān ne wèi shén me tā zǒng shì zhí jiē xiàng xià diào

圈呢？为什么它总是直接向下掉

ne yí dìng yǒu yì zhǒng kàn bu jiàn de lì zài lā

呢？一定有一种看不见的力在拉

tā bǎ tā lā le xia lai

它，把它拉了下来。

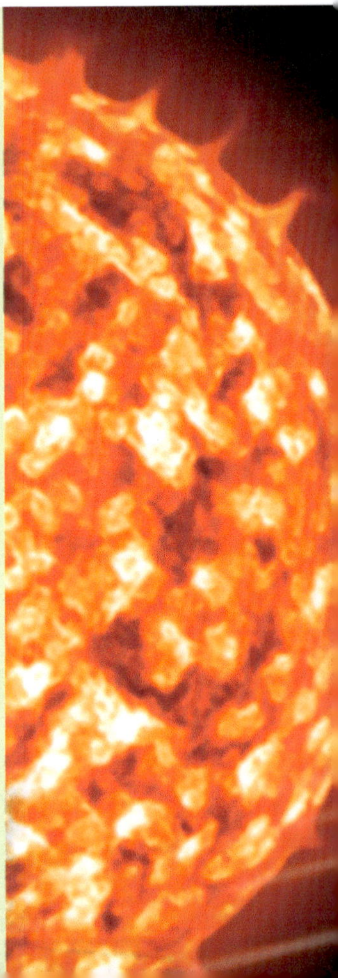

hòu lái niú dùn fā xiàn yǔ zhòu jiān de wàn
后来，牛顿发现宇宙间的万
shì wàn wù dōu zài xiāng hù xī yǐn yú shì tā tí
事万物都在相互吸引，于是他提
chu le wàn yǒu yǐn lì dìng lǜ tā de fā xiàn jiě
出了万有引力定律。他的发现解
shì le wèi shén me yuè liang rào zhe dì qiú zhuàn wèi
释了为什么月亮绕着地球转，为
shén me wǒ men bú huì cóng dì qiú shang diào xia qu
什么我们不会从地球上掉下去。

yí gè xiǎo xiǎo de píng guǒ jiù néng ràng niú dùn
一个小小的苹果就能让牛顿
yǒu zhè me dà de fā xiàn niú dùn zhēn shì tài wěi
有这么大的发现，牛顿真是太伟
dà le nà me zhè kē píng guǒ shù xiàn zài zài
大了！那么，这棵苹果树现在在
nǎ li ne
哪里呢？

niú dùn shàng guo de zhōng xué shuō zhè kē píng
牛顿上过的中学说，这棵苹
guǒ shù zài tā men xué xiào jiàn qiáo dà xué shuō tā
果树在他们学校；剑桥大学说，他
men xué xiào de píng guǒ shù cái shì zhēn de jiù zài niú
们学校的苹果树才是真的，就在牛
dùn zhù guo de fáng jiān wài miàn hái yǒu yì jiā zhuāng
顿住过的房间外面；还有一家庄
yuán shuō nà kē yǒu míng de píng guǒ shù zài tā men nà
园说，那棵有名的苹果树在他们那
li nǐ xiāng xìn nǎ zhǒng shuō fǎ ne
里。你相信哪种 说法呢？

1 三百多年前，一个小男孩出生了，他就是后来那个伟大的科学家牛顿。传说牛顿的科学发现跟一棵苹果树有关，这是怎么回事呢？

2 在牛顿二十多岁的时候，他想知道为什么月亮绕着地球转、地球绕着太阳转。有人说，因为宇宙就是一台转动的机器，所有天体都在这个机器上转动。可是牛顿不相信。

3 一天，他正坐在一棵树下想得出神，一个苹果从树上掉下来，正好掉到了他的头上 。咚！牛顿吓了一跳。

4 牛顿想：为什么苹果不飞到天上去呢？为什么它不围着树转圈呢？为什么它总是直接向下掉呢？一定有一种看不见的力在拉它，把它拉了下来。

5 后来，牛顿发现宇宙间的万事万物都在相互吸引，于是他提出了万有引力定律。他的发现解释了为什么月亮绕着地球转，为什么我们不会从地球上掉下去。

6 一个小小的苹果就能让牛顿有这么大的发现，牛顿真是太伟大了！那么，这棵苹果树现在在哪里呢？

7 牛顿上过的中学说，这棵苹果树在他们学校；剑桥大学说，他们学校的苹果树才是真的，就在牛顿住过的房间外面；还有一家庄园说，那棵有名的苹果树在他们那里。你相信哪种说法呢？

1

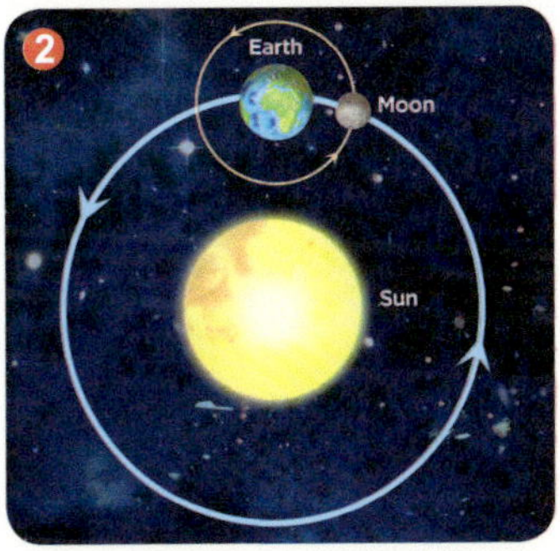
2
Earth
Moon
Sun

3

4

5

6

看图讲故事

7